Disney · PIXAR

HISTOIRE DE JOUETS

Amis pour la vie

La grande évasion des jouets

Une aventure terrifiante

PRESSES AVENTURE

Histoires publiées pour la première fois en langue française sous les titres : *Amis pour la vie* (2009), *La grande évasion des jouets* (2010) et *Une aventure terrifiante !* (2011).

Publié par Presses Aventure, une division de
Les Publications Modus Vivendi inc.
55, rue Jean-Talon Ouest, 2e étage
Montréal, Québec H2R 2W8
CANADA

Histoires publiées pour la première fois en version originale anglaise par Random House sous les titres : *Friends forever* (2009), *The Great Toy Escape* (2010) et *Spooky Adventure* (2011).

Dépôt légal : Bibliothèque et Archives nationales du Québec, 2012

Dépôt légal : Bibliothèque et Archives Canada, 2012

ISBN : 978-2-89660-410-4

Nous reconnaissons l'aide financière du gouvernement du Canada par l'entremise du Fonds du livre du Canada pour nos activités d'édition.

Gouvernement du Québec — Programme de crédit d'impôt pour l'édition de livres — Gestion Sodec.

Imprimé à Singapour

TABLE DES MATIÈRES

Amis pour la vie

Par Melissa Lagonegro
Illustré par Studio Iboix
et The Disney Storybook Artists

Traduit de l'anglais par Karine Blanchard

TRIPLE·R

Buzz et Woody sont
les jouets préférés d'Andy.
Ils sont aussi les meilleurs
amis du monde.

Oh non ! Woody est volé
par un collectionneur
pendant une vente de garage !

Woody est piégé.
Il rencontre Jessie,
Bourrasque et
le Prospecteur.

Ce sont tous des
personnages du Ranch.
Woody est aussi un
membre du Ranch!

Buzz et les autres jouets veulent libérer Woody. Ils partent à sa recherche .

Woody apprend à tout
connaître sur le Ranch.
Il se fait des amis.
Il s'amuse bien.

Buzz cherche toujours Woody.
Les autres jouets d'Andy
l'aident aussi.

Woody s'ennuie d'Andy.
Mais il souhaite rester
avec ses nouveaux amis.
Il s'inquiète pour eux.

Buzz retrouve Woody !

Il veut que Woody

rentre à la maison.

Les autres jouets

le veulent aussi.

Woody invite Jessie,
Bourrasque et le Prospecteur
à rentrer à la maison avec lui !
Mais le Prospecteur
leur bloque le chemin.

Il ne veut pas les laisser partir.

En fait, ce n'est pas un ami.

Woody et les personnages du Ranch ont des problèmes.

Le collectionneur les
emporte très, très loin.
Buzz et Slinky essaient
de les sauver.

Une expédition de
sauvetage s'organise!
Buzz conduit un camion.

Buzz a un plan
pour sauver Woody.
Les jouets suivent Woody.
Ils se rendent à l'aéroport.

Buzz fonce à la rescousse !

Oh non !
Jessie est coincée
dans la valise.
On l'embarque
dans l'avion !

Woody tente d'aider Jessie.

Ils sont en danger !

Buzz et Bourrasque sauvent Jessie et Woody !

Les jouets rentrent à la maison

pour retrouver Andy.

Ils seront tous des amis

pour la vie!

La grande évasion des jouets

Par Kitty Richards
Illustré par Caroline Egan, Adrienne Brown, Scott Tilley et le Studio IBOIX

Traduit de l'anglais par Karine Blanchard

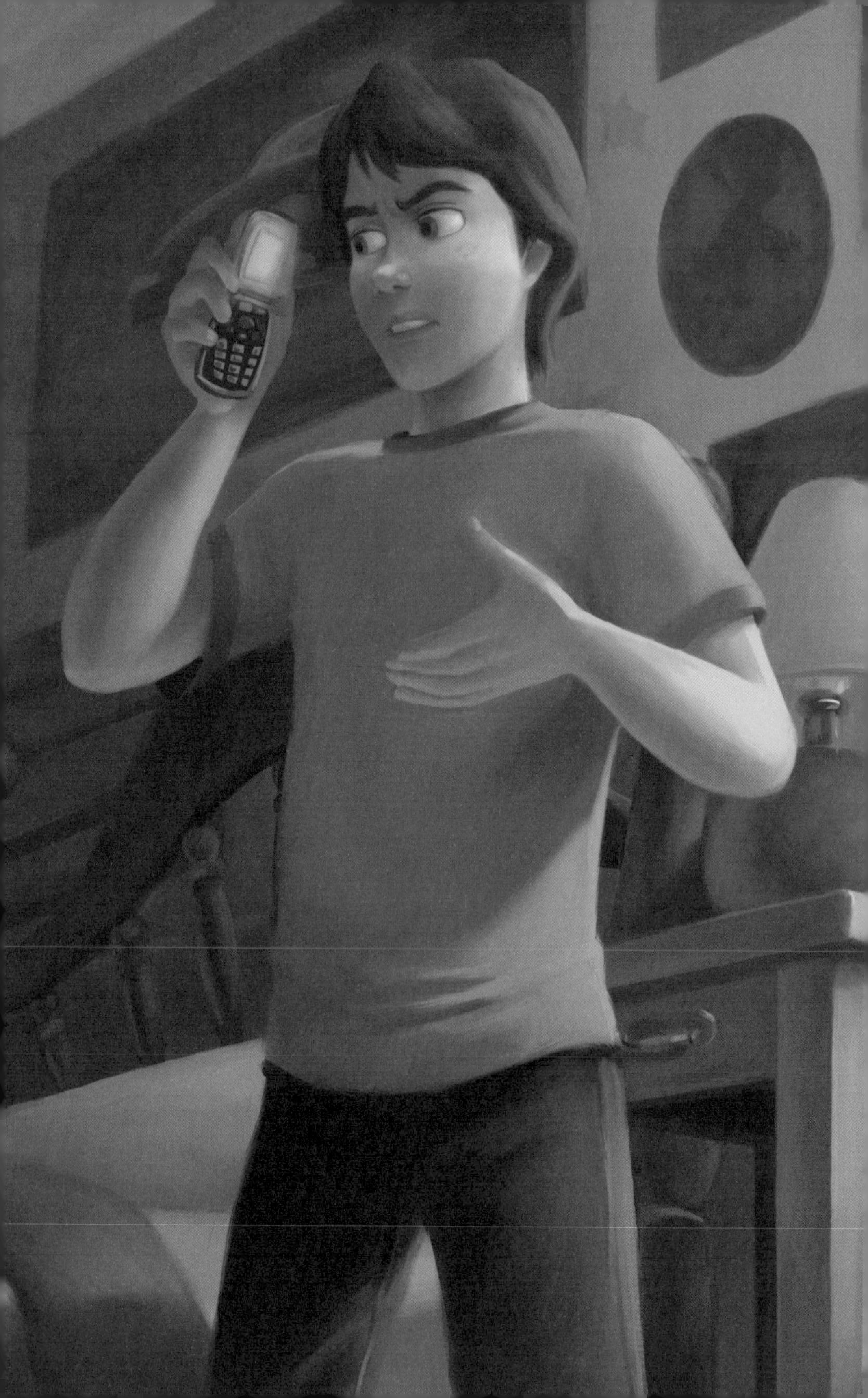

Les jouets d'Andy adorent jouer.

Mais Andy a grandi.

Il ne joue plus avec ses jouets.

Les jouets doivent trouver
une nouvelle maison.
Ils grimpent dans une voiture.

La voiture se rend
à la Garderie du soleil.

La Garderie du soleil
fourmille de jouets!

Le chef de la garderie
est un ours appelé Lotso.

Tous les jours, il y a des enfants
à la Garderie du soleil.
Les jouets d'Andy
sont bien contents.
Les enfants pourront
jouer avec eux!

Seul Woody n’est pas content.

Il s’ennuie d’Andy.

Il décide de s’en aller.

C’est le moment de jouer !

Les petits enfants tirent.

Ils lancent. Ils crient.

Les jouets n’aiment pas ça.

Les jouets veulent
rentrer à la maison.
Mais la porte est verrouillée.

En fait, Lotso est méchant.
Il ne veut pas laisser
les jouets d'Andy partir.

Lotso et ses complices enferment les jouets d'Andy !

Woody est de retour.

Il a un plan.

Les jouets vont s’évader.

La nuit venue,

Woody et Slinky volent la clé!

Les jouets se faufilent
à l’extérieur.
Ils se déplacent sans bruit.

Les jouets tentent de s'enfuir.

Oh, non !

Ils tombent dans

un camion à déchets.

Le camion se rend au dépotoir.
Les jouets sont en danger!
Ils doivent se sauver.

Ils courent!

Woody leur dit de se dépêcher.

Ils cherchent une issue.

Les jouets se tiennent par la main
pour rester ensemble.

Enfin,
ils s’échappent !

Les jouets se cachent
dans les ordures.

Ils retrouvent enfin
la maison d'Andy.

Les jouets sont en sécurité.

Ils sont heureux d’être

à la maison.

Andy trouve une nouvelle amie
pour ses jouets.
Elle adore jouer !
Les jouets aiment bien
leur nouvelle maison.

Une aventure terrifiante

Par Apple Jordan
Illustré par Alan Batson et Lori Tyminski

Traduit de l'anglais par Emie Vallée

Woody et ses amis aiment leur nouvelle maison. Bonnie adore jouer avec ses nouveaux jouets.

Le jeu favori de Bonnie
est de jouer
à la pâtisserie…
hantée !

Un jour de pluie,
Bonnie et sa famille
quittent la maison.
Les jouets sont seuls.

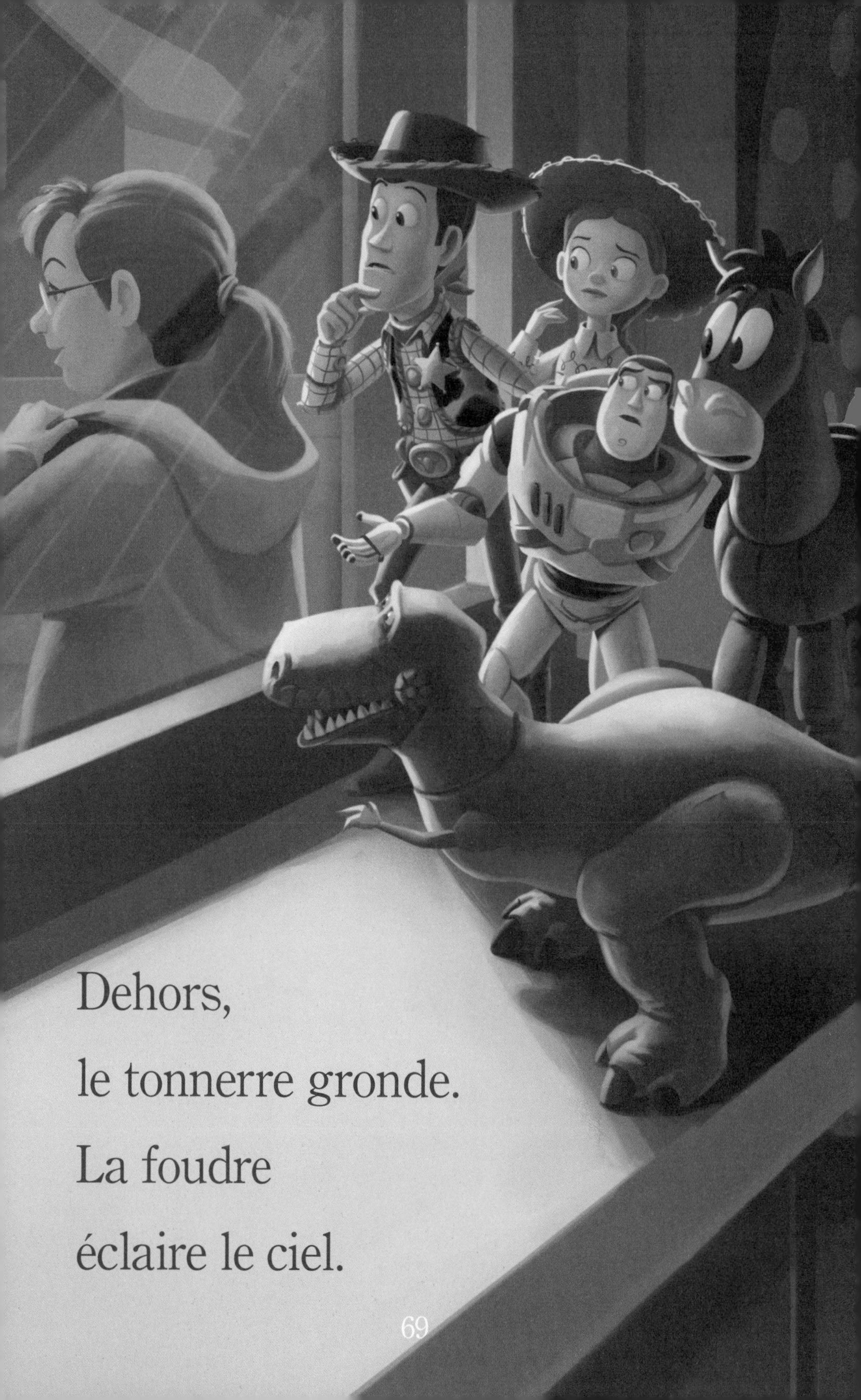

Dehors,
le tonnerre gronde.
La foudre
éclaire le ciel.

M. et Mme Patate sursautent.
Bourrasque se cache dans un tiroir.

Slinky regarde
par la fenêtre.
Rex dit que
la maison est hantée!

Jessie se serre contre Bourrasque. Buzz allume sa lampe laser. «La maison n'est pas hantée», dit Woody.

Les vieux jouets
vont le prouver
à leurs nouveaux amis.

Rex regarde sous le lit de Bonnie. Il voit des monstres!

Mais Trixie dit
qu'il n'y a pas
de monstres.
Elle rampe sous le lit…

Trixie pointe les
monstres de Rex.
Ce ne sont que
les pantoufles de Bonnie!

Les jouets entendent
gratter à la fenêtre.
Bourrasque se cache
derrière Woody.
Est-ce un fantôme?

Bouton d’Or tire
les rideaux.

Ce n’est pas un fantôme, mais le cerf-volant de Bonnie qui s’est pris dans l’arbre!

Bientôt, les jouets entendent
un bruit qui fait peur.
Hou, hou, houuuuu!

Hamm dit que
c’est un lutin.

Buzz et Woody
mènent leurs amis
dans l’entrée.

M. Labrosse
remonte la toile...
Ce n'est pas un lutin :
c'est un hibou qui hulule !

Boum!

Les jouets entendent un bruit
qui vient de la cuisine.

Les jouets vont
à la cuisine.
Rictus leur dit
d'être aux aguets.

Mais Woody
n'est pas inquiet.

Rictus ouvre
la porte du placard.
Woody se fige.
Buzz sursaute.
Rex hurle.

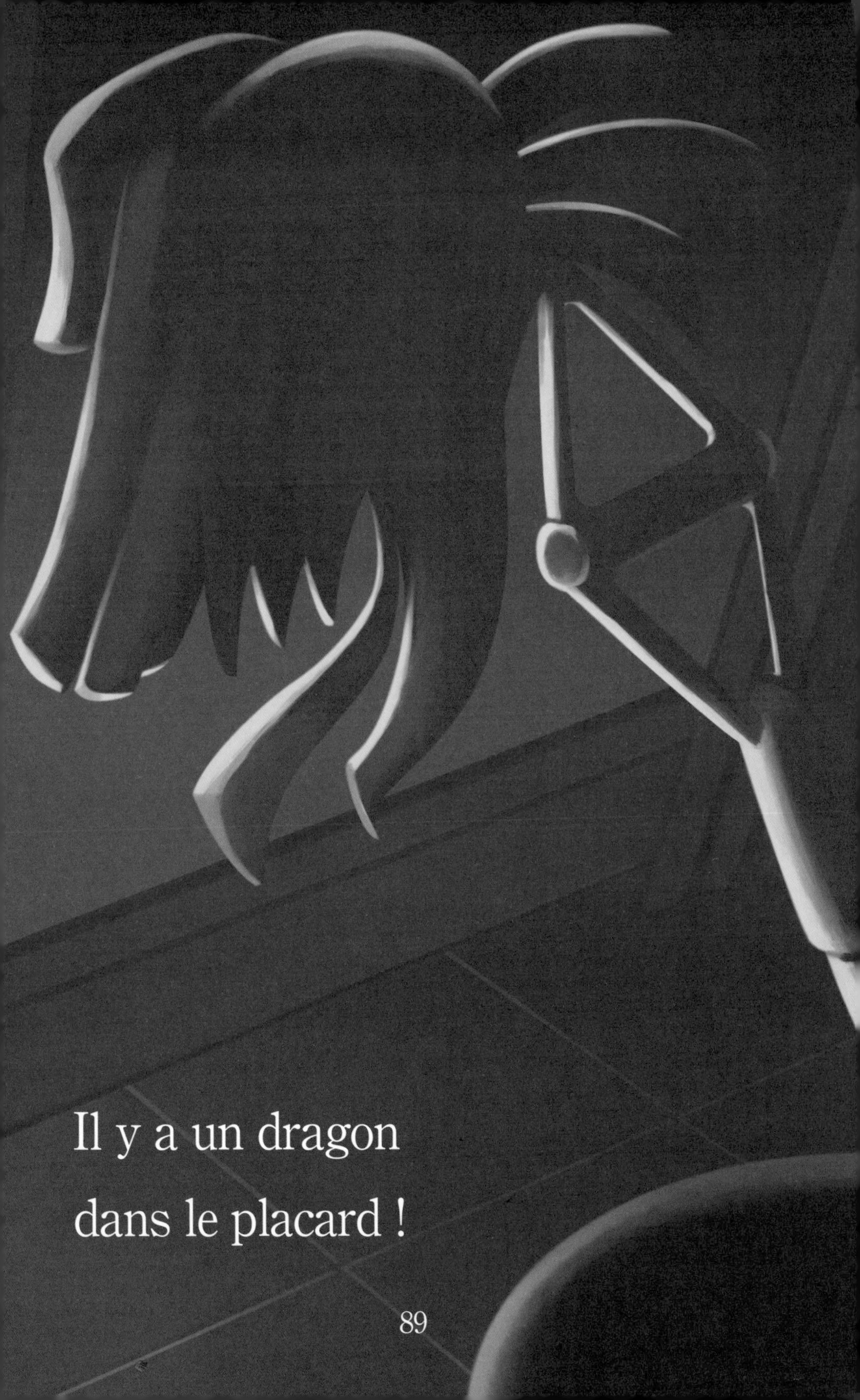

Il y a un dragon
dans le placard !

Rictus allume

une ampoule.

Ce n’est pas un dragon!
C’est une vieille serpillière.

Tous les jouets rient.

Il n'y a pas de monstres.

Il n'y a pas de fantôme.

Il n'y a pas de lutin.

Il n'y a pas de dragon.

La maison de Bonnie

n'est pas hantée.

Mais parfois,
elle semble
un peu étrange…